국민대학교 국제교육원
Institute of International Education
Kookmin University

국민 한국어 5
별책 부록

문법, 어휘·표현
GRAMMAR, VOCABULARY

국민대학교 출판부

목차

5-1 문법

5-2 문법

5-1 어휘와 표현

5-2 어휘와 표현

01 건강한 생활

문법 1 -기만 하다

동 형 기만 하다

의미·용법

1. 동사와 결합: 다른 행동은 하지 않고 오직 한 가지 행동만을 함을 나타낸다.
2. 형용사와 결합: 다른 상황과는 관계없이 어떤 상태가 지속되고 있음을 나타내거나 그 상태를 강조할 때 쓴다.

• 과거 행위를 나타낼 때는 '-기만 했다'로 표현한다.
• 말할 때 주로 사용한다.

예문

1. 동사와 결합

• 아이들의 웃는 얼굴은 **보기만 해도** 행복해진다.
• 민수는 묻는 말에는 대답하지 않고 **웃기만 했다.**
• 가: 뭘 이런 걸 다 가지고 오셨어요?
  나: 매번 **받기만 하는** 것 같아서 미안해서 먹을 거라도 나눠 먹으려고요.

2. 형용사와 결합

• 아직 초보인 지수에게 운전은 **어렵기만 하다.**
• 이사 온 집과 동네는 아직 나에게 **낯설기만 하다.**
• 가: 그래도 생일 파티인데 이렇게 편한 티셔츠를 입고 가도 될까?
  나: 왜? **멋지기만 한데.**

문법 2 -(으)므로

동 형(으)므로

의미·용법

- 선행절의 내용이 후행절 내용의 까닭이나 근거가 됨을 나타낸다.
- 명사는 '(이)므로'와 결합한다. 과거 행위를 나타낼 때는 동사와 형용사에 '-았/었으므로', 명사는 '이었/였으므로'를 결합하여 표현한다.
- 글을 쓸 때 또는 격식적인 말하기 상황에서 자주 사용한다.

  예 (논문에서) 나이가 어릴수록 언어 습득 속도가 **빠르므로** 어릴 때 언어를 배우는 것이 좋다.

  (안내 방송에서) 공연에 방해가 **되므로** 공연 중에는 사진을 찍을 수 없습니다.

예문

- 운동도 지나치면 오히려 몸에 무리가 **가므로** 적당히 조절해서 해야 한다.
- 민준이는 **부지런하므로** 어디서나 신뢰를 받는다.
- 인간은 사회적 **존재이므로** 사람들과 어울려 살아갈 수밖에 없다.
- 가: 지금 막 시작한 연극을 보러 왔는데요.

  나: 죄송합니다. 지금은 **공연 중이므로** 입장하실 수 없습니다.

문법 3 -는/(으)ㄴ 데 반해

동는 데 반해, 형(으)ㄴ 데 반해

의미·용법

- 앞에 오는 내용과 뒤에 오는 내용이 상반되는 사실임을 나타낸다.
- 명사는 '인 데 반해'와 결합한다. 과거 행위는 동사에 '-(으)ㄴ 데 반해'를 결합하여 표현한다.
- 글을 쓸 때 자주 사용하며 '-는/(으)ㄴ 데 반해서'의 형태로 사용하는 경우도 많다.

예문

- 대학 졸업자 수는 **늘고 있는 데 반해** 취업은 더 어려워지고 있습니다.
- 그 신입 사원은 성격은 **좋은 데 반해** 능력은 좀 부족합니다.
- 재무팀에는 지원자가 **많지 않은 데 반해** 인사팀 경쟁률은 매우 세다.
- 김 씨는 성격이 **소극적인 데 반해** 새로 만난 사람들과는 쉽게 친해진다.
- 국내에서 공학이 **상승세인 데 반해** 인문학은 계속 인기가 낮아지고 있다.

문법 4 –다시피

동 다시피

의미·용법

- 청자가 이미 알고 있는 것이나 본 것, 들은 것을 언급하면서 뒤의 내용을 말할 때 사용한다.
- '알다', '보다', '느끼다', '말하다', '짐작하다' 등의 동사 뒤에 자주 붙여 쓴다.
- 과거 사실은 '–았/었다시피'로 표현한다.
- 발표나 연설과 같은 격식적인 말하기 상황에서 자주 사용한다.

예문

- 누구나 **알다시피** 하와이는 세계적인 관광지 중 하나이다.
- 잘 **아시다시피** 김치는 한국의 대표적인 음식 중 하나입니다.
- 지난번에 **설명했다시피** 한국 사회가 20-30년 만에 급격히 변화했습니다.
- 가: 지원자 현황을 말씀해 주십시오.
  나: 이 자료에서 **보시다시피** 올해 지원자가 작년에 비해 크게 증가했습니다.

문법 1 -는/(으)ㄴ 듯이

동 는 듯이, 형 (으)ㄴ 듯이

의미·용법

- 뒤의 동작이나 상태가 앞의 내용과 같거나 유사한 정도라는 의미를 나타낸다.

  예 민수는 수학 문제의 답을 **아는 듯이** 자신 있게 문제를 풀었다.
- 명사는 '인 듯이'와 결합한다. 과거 행위를 나타낼 때는 동사에 '-(으)ㄴ 듯이', 미래는 '-(으)ㄹ 듯이'를 결합하여 표현한다.
- 굳어진 관용적인 표현으로 사용하는 경우가 많다.

  예 교실 안이 **쥐 죽은 듯이 조용하다.**

  그는 자기 팀이 승리하자 **뛸 듯이 기뻐했다.**

예문

- 그는 잘 알지도 못하면서 **아는 듯이 말한다.**
- 그가 가방을 챙기는 것 보니 곧 **떠날 듯이 보인다.**
- 그 사람은 **부끄러운 듯이** 얼굴이 빨개졌다.
- 그 사람은 없는 이야기를 **사실인 듯이** 이야기하는 버릇이 있다.

<관용적인 표현>

병이 씻은 듯이 낫다

교실이 쥐 죽은 듯이 조용하다

가슴이 찢어질 듯이 아프다

물건이 날개 돋친 듯이 팔리다

건물이 하늘을 찌를 듯이 높다

A가 B를 잡아먹을 듯이 노려보다

A와 B가 판에 박은 듯이 닮았다

문법 2 은/는 말할 것도 없고

명 은/는 말할 것도 없고

의미·용법

- 앞의 내용은 말할 필요도 없이 가능하고, 뒤의 내용도 당연하다는 것을 나타낼 때 사용한다.
- 일반적으로는 기본이 되는 명사가 앞에 오지만, 부정적인 상황에서는 기본이 되는 명사가 뒤에 온다.

  예 **된장찌개**는 말할 것도 없고 **라면**도 못 끓여요.
- 형용사나 동사와 결합할 때는 '-(으)ㄴ/는 것은 말할 것도 없고'와 같은 형태를 사용한다.
- 말할 때 자주 사용한다.

예문

- 그 여자 배우는 **남자는 말할 것도 없고** 여자에게도 인기가 많아요.
- 이 제품은 **국내에서는 말할 것도 없고** 해외에서도 잘 팔려요.
- 택시 탈 돈이 **없는 것은 말할 것도 없고** 버스 탈 돈도 없어요.
- 가: 여자 친구 부모님 만나 봤어? 어땠어?

  나: 정말 대단하신 분이야. **능력은 말할 것도 없고** 인성도 훌륭하신 분이야.

문법 3 -(으)ㅁ으로써

동 (으)ㅁ으로써

의미·용법

- 앞에 오는 행위가 뒤에 오는 행위의 도구나 수단, 방법이 된다는 의미를 나타낸다.
- 명사는 '(으)로써'와 결합한다.
- 글을 쓸 때 주로 사용한다.

예문

- 최선을 **다함으로써** 여러분의 응원에 보답하겠습니다.
- 많은 사람들이 자신을 **희생함으로써** 나라를 구했다.
- 모두 조금씩 **양보함으로써** 이 위기를 극복합시다.
- 그는 그간의 **경험으로써** 이 문제를 해결할 수 있었다.

문법 4 -게끔

동 형 게끔

의미·용법

- 앞에 나오는 행위가 뒤에 나오는 행위의 목적이나 기준이 됨을 나타낸다. '-게'와 그 의미가 유사하나 '끔'을 결합하면 그 의미가 더 강조된다.
- 주로 동사와 결합하지만 일부 형용사나 '-(으)ㄹ 수 있다/없다'와 결합하는 경우도 있다.

  예 펭귄은 영하의 날씨에도 생존이 **가능하게끔** 진화하였다.
  아이는 의미를 **알 수 없게끔** 서툴게 글씨를 써 놓았다.
- '-(으)ㄹ 수 있게끔', '-지 않게끔'의 형태로 사용하는 경우도 많다.

예문

- 모두가 다 **보게끔** 큰 글씨로 써 주세요.
- 그 식당은 손님들이 다시 **찾게끔** 식사 쿠폰을 제공하고 있다.
- 할아버지께서 감기에 **걸리지 않게끔** 따뜻한 옷을 입혀 드렸다.
- 가: 도대체 뭐가 불만이에요?
  나: 당신 말을 믿을 수 없어요. 제발 당신을 **믿을 수 있게끔** 행동하세요.

문법 1 -는 둥 마는 둥 하다

동 는 둥 마는 둥 하다

의미·용법

- 앞의 행동을 제대로 하지 않고 있음을 나타내며, 보통 부정적인 의미로 사용한다.
- 과거의 일을 나타날 때는 '-는 둥 마는 둥 했다'로 표현한다.
- 말할 때 주로 사용한다.

예문

- 그 사람은 뉴스를 보며 아침을 **먹는 둥 마는 둥 하고** 있다.
- 사장님은 손님들에게 인사를 **하는 둥 마는 둥 하는** 아르바이트생을 혼냈다.
- 집에 온수가 나오지 않아서 **씻는 둥 마는 둥 했다.**
- 가: 너 지금 내 얘기를 제대로 듣고는 있는 거야? 왜 **듣는 둥 마는 둥 하는** 거야?
  나: 미안해. 중요한 전화를 기다리고 있어서 그래.

문법 2 -기 나름이다

동 기 나름이다

의미·용법

- 앞의 말이 나타내는 행동을 어떻게 하느냐에 따라 결과가 달라질 수 있음을 나타낸다.

예문

- 행복과 불행은 **생각하기 나름이다.**
- 건강을 유지하는 건 자기가 **노력하기 나름이다.**
- 직장에서 잘 적응하는 것은 자기가 **하기 나름이다.**
- 가: '사랑'이라는 게 뭘까?
  나: 사람마다 다르게 생각하니까 그건 **정의하기 나름인** 것 같아.

문법 3 -는/(으)ㄴ 이상

동 는 이상, 형 (으)ㄴ 이상

의미·용법

- 앞에 오는 내용이 이미 정해져 있거나 확실한 사실이므로 뒤에 오는 내용이 당연함을 나타낸다.
  예 술과 담배를 **끊지 않는 이상** 건강하게 살기는 어렵다.
- 앞에 오는 내용이 조건으로 충족되었을 때 그에 맞는 행동이나 태도가 필요함을 나타낸다.
  예 약속을 **한 이상** 반드시 철저하게 지켜야 한다.
- 명사는 '인 이상'과 결합한다. 동사의 과거는 '-(으)ㄴ 이상'과 결합한다.

예문

- 사랑하는 가족들이 **있는 이상** 나는 무서울 것이 없다.
- **학생인 이상** 공부를 열심히 해야 한다.
- 규칙적으로 **생활하지 않는 이상** 건강이 좋아지기는 어렵다.
- 가: 이 계약서는 수정 가능합니까?
  나: 아니요. 계약서에 서명을 **한 이상** 계약 내용을 수정할 수는 없습니다.

문법 4 -(으)ㄹ뿐더러

동 형 (으) ㄹ 뿐더러

의미·용법

- 앞의 사실에 더하여 뒤의 사실도 있음을 나타낸다.
- 명사는 '일뿐더러'와 결합한다. 동사, 형용사의 과거를 표현할 때는 '-았/었을뿐더러', 명사의 과거를 표현할 때는 '이었/였을뿐더러'를 사용한다.

예문

- 새로 들어온 신입 사원은 일을 **잘할뿐더러** 성격도 좋아서 다른 사원들과 벌써 친해졌다.
- 옆집 할아버지는 자식이 **없었을뿐더러** 부인마저 작년에 세상을 떠나서 혼자 살고 있다.
- 가을에 피는 국화꽃은 **예쁠뿐더러** 향기도 좋다.
- 가: 민준 씨는 성격이 어때요?
  나: 민준 씨는 성격이 **이기적일뿐더러** 욕심도 많아서 사람들이 같이 일하기 싫어해요.

04 교육과 진로

문법 1 -(으)ㄹ 법하다

동 형 (으) ㄹ 법하다

의미·용법

- 앞의 상황이나 사실에 대해 말하는 사람이 그럴 가능성이 있다고 판단함을 나타낸다.
- 과거 행위를 나타낼 때는 '-았/었을 법하다'로 표현한다.
- 말할 때는 '-(으)ㄹ 법도 하다'의 형태로 자주 사용한다.

예문

- 산속에 있는 그 집은 너무 조용해서 겨울에는 눈 내리는 소리까지 **들릴 법한** 곳이다.
- 이곳의 소나무들은 크기로 보아 삼백 년은 **넘었을 법하다.**
- 그 영화 내용은 정말 무서웠지만 충분히 현실에서 **있을 법한** 일이었다.
- 가: 우리 선생님은 정말 친절하신 것 같아.
  나: 맞아. 계속 질문하는 학생들이 **귀찮을 법도 한데** 선생님은 매번 친절하게 대답해 주시잖아.

문법 2 -(으)ㄹ 따름이다

동 형 (으)ㄹ 따름이다

의미·용법

- 앞에 오는 상태나 상황에 대해서 '그것뿐'임을 의미하며, 그 외에 다른 선택의 가능성이 없음을 나타낸다.
- 명사는 '일 따름이다'와 결합한다. 동사, 형용사의 과거는 '-았/었을 따름이다'로, 명사의 과거는 '이었을/였을 따름이다'로 표현한다.
- 비슷한 표현으로는 '-(으)ㄹ 뿐이다'가 있다.
- 말할 때 자주 사용한다.

예문

- 부모님도 없이 스스로 공부해서 대학을 가다니 정말 **대견할 따름입니다.**
- 그동안은 실력을 발휘할 기회가 **없었을 따름이다.**
- 저는 책임자가 아니라 업무를 담당하는 **직원일 따름입니다.**
- 가: 철수가 복권에 당첨됐다는 말 들었어?
  나: 응. 내 주위에도 그런 사람이 있다니 **놀라울 따름이야.**

문법 3 에 한해

명 에 한해

의미·용법

• 앞의 내용으로 범위를 한정한 후에 뒤의 내용을 말할 때 사용한다.

예문

• 사전 **신청자에 한해** 미리 메시지를 발송할 예정입니다.
• 음료는 **1회에 한해** 리필이 가능합니다.
• 지금 회원으로 가입하신 **분에 한해** 30% 할인 쿠폰을 증정하고 있어요.

문법 4 –고도 남다

동 고도 남다

의미·용법

• 앞에 오는 상황에 대해 부족하지 않고 충분하다고 인식할 때 사용한다.
• 말할 때 자주 사용한다.

예문

• 이 정도 양이면 우리 가족이 한 달을 **쓰고도 남는** 양이에요.
• 국적은 다르지만, 저도 유학생이니까 그 문제에 대해 충분히 **공감하고도 남아요.**
• 가: 김 과장, 이번 일을 마무리하는 데 얼마나 걸리겠나?
  나: 제 생각에는 3일이면 이 일을 **마무리하고도 남습니다.**

문법 1 -는 통에

동 는 통에

의미·용법

- 앞의 행동이 어떤 부정적인 결과가 생기게 된 원인임을 나타낸다.
- 복잡하고 정신없는 상황이나 상태 속에서 뒤의 일이 일어날 때 사용하는 경우가 많다.
- '전쟁, 장마, 난리' 등의 제한적인 명사와 함께 사용하며, 명사는 '통에'와 결합한다.

  예 **전쟁 통에** 가족과 헤어졌다.

예문

- 아이들이 자꾸 **움직이는 통에** 단체 사진을 찍기가 어렵다.
- 앞자리 사람이 계속 **들락날락하는 통에** 영화에 집중할 수가 없었어요.
- **장마 통에** 집이 물에 잠겼다.
- 가: 좀 피곤해 보이세요.

  나: 어제 옆집에서 집들이를 하는지 밤새 웃고 **떠드는 통에** 잠을 거의 못 잤거든요.

문법 2 -다 못해

동 다 못해

의미·용법

- 앞의 상황을 더 이상 지속할 수 없어서 뒤의 결과가 발생했음을 나타낸다.
- 지속성이 나타나지 않는 동사는 사용할 수 없다.

  예 감기에 걸리다 못해 병원에 입원했다. (X)
- 동사 '참다', '듣다'의 경우는 '참다못해', '듣다못해'처럼 붙여 쓴다.
- '-다 못한'의 형태로 쓰여 뒤의 명사를 수식하기도 한다.

  예 토론자들이 말다툼을 벌이자, **보다 못한** 사회자가 잠시 토론을 중단시켰다.

예문

- 나는 다친 곳을 치료하다가 너무 아파서 **참다못해** 소리를 지르고 말았다.
- 옆집 아주머니가 남편의 폭력을 **견디다 못해** 아이들을 데리고 집을 나가 버렸대요.
- 도착 예정일이 지났는데도 오지 않는 택배를 **기다리다 못해** 택배 회사에 전화를 했다.

문법 3 -는 한

동는 한

의미·용법

- 앞의 행위나 상태가 계속되는 '조건에서는' 또는 '동안에는'의 뜻을 나타낸다.
- '-지 않는 한 -(으)ㄹ 수 없다/-기는 어렵다'의 형태로 사용하여 선행절의 조건이 필수적인 것임을 나타내기도 한다.

  예 국민의 의식 수준이 **높아지지 않는 한** 선진국에 **들어가기는 어렵다.**

- 형용사의 경우에는 '가능하다, 있다, 없다' 정도의 한정된 표현과 결합한다.

  예 **가능한 한** 최대한 빨리 와 주면 좋겠어.

예문

- 과거의 일에만 **집착하는 한** 더 이상의 발전은 없을 것이다.
- 팀원들이 나를 **믿어 주는 한** 그들을 실망시키지 않도록 최선을 다하겠다.
- 가족과 함께 **있는 한** 아버지는 어떠한 어려운 일이라도 이겨낼 수 있다.
- 부모가 **도와주지 않는 한** 아이가 모든 일을 스스로 하기는 어렵다.
- **포기하지 않는 한** 언젠가는 꿈을 이룰 수 있을 것이다.

문법 4 -(으)ㄹ 리 없다

동 형(으)ㄹ 리 없다

의미·용법

- '절대 그런 일이 일어날 수 없다'는 의미를 나타낸다.
- '-(으)ㄹ 리는 없다', '-(으)ㄹ 리가 없다'와 같이 조사 '는', '가'를 결합하여 강조하는 의미를 더하기도 한다.

  예 그렇게 큰일을 당했으니 식욕이 **있을 리가 없다.**
- 명사는 '일 리 없다'와 결합한다. 동사와 형용사의 과거는 '-았/었을 리 없다', 명사의 과거는 '이었을/였을 리 없다'로 표현한다.

  예 지수가 그런 나쁜 말을 **했을 리가 없어.**
- 말할 때 주로 사용한다.

예문

- 이 옷은 내 몸에 맞춘 것이니까 너한테 **맞을 리가 없어.**
- 우리 어머니가 해 주신 음식인데 맛이 **없을 리가 없지.**
- 그렇게 키가 큰 아이가 **초등학생일 리가 없어요.**
- 그 애가 아무런 이유 없이 괜히 그런 행동을 **했을 리 없어.**
- 가: 어제 미나 씨가 크게 소리를 지르며 화를 냈어요.

  나: **그럴 리 없어요.** 내가 아는 한 미나 씨는 그런 행동을 할 사람이 아니에요.

문법 1 -(으)ㄴ 나머지

동 형 (으)ㄴ 나머지

의미·용법

- 앞에 오는 행위를 해서 뒤의 결과가 생겼음을 나타낼 때 사용한다.
- 행위와 상태가 무리하게 이루어져 부정적인 결과가 발생했을 때 많이 사용한다.

예문

- 그는 며칠 밤을 **새운 나머지** 쓰러지고 말았다.
- 그 사람은 돈을 물 쓰듯이 **쓴 나머지** 거지가 되었다.
- 그 영화배우는 상을 받고 **기쁜 나머지** 울어버렸다.

문법 2 은/는 물론

명 은/는 물론

의미·용법

- 앞의 명사를 포함하여 전체 문장의 내용이 당연히 그러하다는 의미를 나타낸다.
- 두 가지 명사 중에 그 내용에 더 기본이 되는 명사가 앞에 와야 한다.

  예 나는 **책상 정리는 물론 방 청소**까지 모두 끝내 놓았다.
- 앞의 명사와 뒤의 명사가 동일한 동사나 형용사로 묶인다.

  예 나는 **내일 숙제는 물론 예습**까지 모두 다 해 놓았다.
- 형용사나 동사와 결합할 때는 '-(으)ㄴ/는 것은 물론'과 같은 형태를 사용한다.
- 말할 때는 '은/는 물론이고'의 형태로도 자주 사용한다.

  예 **내일 숙제는 물론이고** 예습까지 모두 다 해 놨어요.

예문

- 제철 과일은 **맛은 물론** 향도 좋다.
- 그 공연은 **재미는 물론** 작품성까지 갖춰 많은 관객을 동원했다.
- 그 배우는 연기를 **잘하는 것은 물론** 인성도 훌륭해서 국민 배우로 존경받고 있다.
- 내 친구는 얼굴이 **예쁜 것은 물론이고** 성격도 좋아서 사람들에게 인기가 많다.

문법 3 –(으)ㄹ 틈이 없다

동 형(으)ㄹ 틈이 없다

의미·용법

- 어떤 일을 하다가 생각 따위를 다른 데로 돌릴 수 있는 시간·공간·정신적인 여유가 없을 때 사용한다.

예문

- 너무 바빠서 잠시도 **쉴 틈이 없다.**
- 축제를 보려고 모인 사람들로 인해 시청 앞 광장은 **발 디딜 틈이 없다.**
- 두 사람은 서로 사랑하기 때문에 다른 사람이 **끼어들 틈이 없다.**
- 가: 배 안 고파요?

  나: 전혀요. 할머니께서 계속 음식을 주셔서 **배고플 틈이 없어요.**

문법 4 –(으)ㅁ에도 불구하고

동 형(으)ㅁ에도 불구하고

의미·용법

- 앞의 행위나 상태에서 기대할 수 있는 것과 뒤의 상황이 다르거나 반대일 때 사용한다.
- '-(으)ㄴ/는 데도 불구하고'와 그 의미가 유사하다.

  예 소나기가 **쏟아짐에도/쏟아지는 데도 불구하고** 공연장에 많은 사람들이 모였다.
- 명사는 '임에도 불구하고'와 결합한다. 동사, 형용사의 과거는 '-았/었음에도 불구하고', 명사의 과거는 '이었음/였음에도 불구하고'로 표현한다.

예문

- 여러 사람이 **반대함에도 불구하고** 그는 담담하게 자신의 의견을 밝혔다.
- 그는 돈이 **있음에도 불구하고** 돈을 빌려주지 않았다.
- 여기는 매우 **넓은 대로임에도 불구하고** 교통 체증이 심하다.
- 밥을 많이 **먹었음에도 불구하고** 아무것도 안 먹은 것처럼 속이 허전하다.

07 전통의 계승

문법 1 –(으)려던 참이다

동(으)려던 참이다

의미·용법

- 어떤 일이나 행위를 할 생각이 있을 때 사용한다.
- 무엇을 하려고 생각하고 있는데 마침 상대방이 같은 내용의 말을 하거나 물어볼 때 자주 사용한다.

  예 가: 바쁘니? 요즘 통 연락이 없길래 전화했어.

  나: 안 그래도 전화 **드리려던 참이었어요.** 그간 연락 못 드려 죄송해요.

- '그렇지 않아도, 안 그래도, 마침, 지금 막' 등과 같은 표현과 함께 사용한다.

  예 **그렇지 않아도** 청소를 **하려던 참이에요.**

- '-(으)려던 참이었다' 형태로도 자주 사용한다.

  예 오늘은 길이 막혀서 지하철을 타고 집에 **가려던 참이었어요.**

- 말할 때 주로 사용한다.

예문

- 지금 이불을 **정리하려던 참이야.**
- 안 그래도 모두 **말하려던 참이었어.** 너무 화내지 마.
- 가: 우리 잠깐 쉴까?

  나: 그래. 졸려서 커피 **마시려던 참인데** 잘 됐다. 카페에 가자.

문법 2 을/를 불문하고

명 을/를 불문하고

의미·용법

- 대상을 가리지 않고 앞의 내용이 뒤에 내용에 모두 해당됨을 나타낸다.
- '시대, 세대, 가격' 등의 명사나 '남녀노소, 동서고금, 지위고하' 등의 한자어와 주로 결합한다.

예문

- 그의 소설은 **시대를 불문하고** 모든 사람들이 읽는 명작이 되었다.
- 불고기는 **남녀노소를 불문하고** 누구나 좋아하는 음식이다.
- **지위고하를 불문하고** 죄를 지었으면 당연히 벌을 받아야 한다.
- 가: 시간이 있으면 보통 뭐 해요?

  나: 영화를 봐요. 저는 영화라면 드라마, 코미디, 액션 등 **장르를 불문하고** 다 보는 편이에요.

문법 3 -는/(으)ㄴ 동시에

동는 동시에, **형**(으)ㄴ 동시에

의미·용법

- 앞과 뒤의 행동이 같은 시간에 함께 일어나거나 앞뒤 상태가 함께 있음을 나타낸다.
- 명사는 '인 동시에'와 결합한다.

예문

- 선생님이 **들어오시는 동시에** 시끄럽던 교실이 조용해졌다.
- 우리는 육체적으로 건강한 삶을 **살아야 하는 동시에** 정신적으로도 건강한 삶을 살아야 한다.
- 영어를 **공부하는 동시에** 세상을 보는 시야도 넓히려고 어학연수를 떠나려고 해요.
- 딸이 결혼한다니 **행복한 동시에** 슬픈 마음이 들었다.
- 지수는 **아내인 동시에** 엄마이다.

문법 4 -(으)ㄴ 끝에

동(으)ㄴ 끝에

의미·용법

- 오랜 시간이 지난 후에 또는 힘든 과정을 지나 어떠한 결과를 얻게 됐음을 나타낸다.
- 명사는 '끝에'와 결합한다.

예문

- 민준이는 지난 십여 년간 고생고생하며 돈을 **모은 끝에** 드디어 집을 마련했다.
- 몇 날 며칠을 **고민한 끝에** 직장을 옮기기로 했어요.
- 10번이 넘는 **도전 끝에** 그는 외교관 시험에 합격하고 자신의 꿈을 이루었다.
- 가: 회사 생활이 너무 힘들어요.
  나: **고생 끝에** 낙이 온다고 하잖아. 아무리 힘들더라도 지금 잘하고 있으니까 조금만 더 힘내자.

08 성격과 심리

문법 1 이자

명 이자

의미·용법

- 어떤 대상이 동시에 가지고 있는 두 가지 특징이나 자격을 설명할 때 사용한다.
- 선행절과 후행절의 주어가 같아야 하며 후행절의 주어는 주로 생략된다.

예문

- 서울은 한국의 **수도이자** 자연과 도시가 어우러진 멋진 도시이다.
- 나에게 어머니는 소중한 **가족이자** 친구 같은 존재이다.
- 가: 어떤 이유에서 해마다 사회에 큰돈을 기부하시는 겁니까?
  나: 기부는 지도층의 **의무이자** 행복을 나누는 기회라고 생각하기 때문입니다.

문법 2 –는 경향이 있다

동 는 경향이 있다

의미·용법

- 어떤 생각, 행동, 현상 등이 한 방향으로 기울어져 있다는 의미를 나타낸다.
- '–는 경향을 보이다'로 바꾸어 쓰기도 한다.

예문

- 나는 쉽게 화를 **내는 경향이 있다.**
- 요즘은 일의 결과보다 과정을 **중시하는 경향을 보인다.**
- 가: 대학생들은 진로를 결정할 때 어떤 걸 고려하고 있나요?
  나: 최근 들어 적성보다 안정을 **우선시하는 경향을 보이고** 있습니다.

문법 3 -(으)려고 들다

동 (으)려고 들다

의미·용법

- 앞말이 나타내는 행동을 적극적으로 하려고 함을 나타낸다.
- 꼭 해야 하는 일이 아니거나 하기 어려운 일임에도 굳이 무리해서 하는 태도를 강조할 때는 '-(으)려고만 들다'를 사용하기도 한다.
- '-자(고) 들다'로 바꾸어 쓸 수도 있다.
  예 매일 운동하는 것은 말은 쉽지만 **하자고 들면** 힘든 일이다.

예문

- 아버지께서는 선생님이라 그런지 집에서도 항상 가족들을 **가르치려고 든다.**
- 그 사람이 한번 **먹으려고 들면** 여기 있는 음식의 양으로는 부족할 것이다.
- 가: 술 많이 마셨으니까 이제 그만 마셔.
  나: 난 원래 누군가가 **말리려고만 들면** 더 마셔. 그러니까 내버려 둬.

문법 4 -아/어 내다

동 아/어 내다

의미·용법

- 앞의 행동을 스스로의 힘으로 결국 이룬다는 의미를 나타낸다.
- 동사 '하다, 알다, 밝히다, 찾다, 뜯다'의 경우는 '해내다, 알아내다, 밝혀내다, 찾아내다, 뜯어내다'처럼 붙여 쓴다.

예문

- 포기하지 않고 노력하면 기적을 **만들어 낼** 수 있다.
- 그 사람은 어려운 수술을 **이겨 내고** 건강을 회복했다.
- 가: 건물 벽이 깨끗해졌네요.
  나: 네. 벽에 붙은 광고지들을 **뜯어내느라** 정말 힘들었어요.

09 동물과 식물

문법 1 -는 등

동 는 등

의미·용법

- 그 밖에도 유사한 종류의 것이 더 있음을 나타낼 때 사용한다.
- 두 개 이상의 명사를 열거한 다음에 쓰여, 그것만으로 대상을 한정한다는 의미를 나타내기도 한다. 명사는 '등'과 결합한다.

  예 **옷, 음식, 주거 등** 의식주의 세 가지 요소는 인간 생활의 가장 기본적인 요소이다.

예문

- 민수는 꾸준히 운동을 **하는 등** 건강 관리에 힘썼다.
- 그 나라는 한때 대통령이 자주 **바뀌는 등** 정치적으로 큰 혼란을 겪었다.
- 우리 대학은 교양 학부가 폐지되고 대학원이 **설립되는 등** 큰 변화를 겪었다.
- 가: 어떤 거 먹을래?
  나: **피자, 치킨, 갈비 등** 먹고 싶은 음식이 너무 많아서 못 고르겠어.

문법 2 –는/(으)ㄴ 탓에

동는 탓에, 형(으)ㄴ 탓에

의미·용법

- 뒤에 나오는 결과나 현상이 생기게 된 까닭이나 원인을 나타낼 때 사용한다. 주로 부정적인 결과가 온다.
- '–는 탓이다'의 형태로도 쓰인다.
  예 내가 자꾸 시험에 떨어지는 것은 열심히 노력하지 **않는 탓이다.**
- 명사는 '탓에'와 결합한다.

예문

- 그는 자주 야근을 **하는 탓에** 건강이 안 좋아졌다.
- 그 후보자는 사람들의 지지가 **낮은 탓에** 선거에서 탈락하고 말았다.
- **지구 온난화 탓에** 빙하가 빠르게 녹고 있습니다.

문법 3 –답니다

동 ㄴ/는답니다, 형 답니다

의미·용법

- 말하는 사람이 이미 알고 있는 사실을 친근하게 설명할 때 사용한다. 가끔 자랑하는 느낌을 나타내기도 한다.
- 명사는 '(이)랍니다'와 결합한다. 동사와 형용사의 과거는 '-았/었답니다', 명사의 과거는 '-이었/였답니다'로 표현한다.

예문

- 저는 사람이 없는 곳을 찾아서 낚시를 하면서 마음을 **다스린답니다.**
- 이분이 제가 사랑하는 **사람이랍니다.**
- 가: 이번에 세계 각지를 여행하고 돌아오셨다고요?
  나: 네. 50개국을 여행하고 **귀국했답니다.**
- 가: 결혼 생활은 어때요?
  나: 좋아요. 사랑하는 사람과 생활을 같이하니 참 **행복하답니다.**

문법 4 –기에 앞서

동 기에 앞서

의미·용법

- 앞의 행위를 하기 전에 뒤의 행위를 먼저 하는 것을 표현할 때 사용한다.
- '-기에 앞서서'로도 사용한다.
- 명사는 '에 앞서'와 결합한다. 이때 '하다' 동사와 결합하는 명사가 주로 사용된다.
  예 본격적인 **수업에 앞서** 출석을 확인하겠습니다.
- 공식적인 상황에서 흔히 사용된다.

예문

- 영수는 중요한 결정을 **내리기에 앞서** 생각할 시간을 가졌다.
- 우리는 **성묘하기에 앞서** 잡초를 뽑아내고 산소를 손질하였다.
- **사진 촬영에 앞서** 신부는 화장을 곱게 하고 웨딩드레스를 입었다.

10 생각과 가치관

문법 1 –는 바와 같이

동는 바와 같이

의미·용법

- 앞에서 보거나 들은 내용을 토대로 뒤의 내용을 이야기할 때 사용한다.
- '보다, 듣다, 말하다, 살펴보다' 등의 동사와 자주 결합한다.
- 과거 사실을 나타낼 때는 동사에 '–(으)ㄴ 바와 같이'를 결합한다.
- 회의나 발표, 연설, 인터뷰와 같은 격식적인 말하기 상황에서 자주 사용한다.

예문

- **보시는 바와 같이** 올해 우리 회사 실적이 매우 좋지 않습니다.
- 앞에서 **설명한 바와 같이** 낮은 출산율은 노인 정책에도 영향을 미칩니다.
- 내가 **예상한 바와 같이** 아들은 우리를 찾아와 도움을 요청했다.
- 가: 이 책을 쓰신 특별한 이유가 있으신지요?
  나: 서문에서 **밝힌 바와 같이** 저는 이 책을 통해 사람들에게 희망을 주고 싶었습니다.

문법 2 -고도

동 고도

의미·용법

- 앞의 행동이 완료되고 그 행위로 예상되는 결과와는 다른 행위나 상황이 이어질 때 사용한다.
- 선행절과 후행절의 주어가 같아야 하며 후행절의 주어는 주로 생략된다.

  예 **민서**는 그 사실을 알고도 **(민서는)** 모르는 척했다.
- 후행절에는 주로 평서문과 의문문이 오고, 청유문, 명령문으로는 쓸 수 없다.

예문

- 엄마는 그 사실을 **알고도** 모르는 척했다.
- 너무 어려워서 설명을 **듣고도** 이해하지 못하겠어요.
- 영희는 슬픈 영화를 **보고도** 울지 않았다.
- 철수는 그 일을 **망치고도** 책임을 지지 않았다.
- 가: 엄마, 숙제 꼭 해야 돼요?

  나: 그렇게 혼이 **나고도** 아직도 정신을 못 차렸니?

문법 3 에서 비롯되다

명 에서 비롯되다

의미·용법

- 처음으로 시작되거나 유래되었음을 나타낸다.
- '-에서 처음으로 시작되다', '-에서 유래되다'와 의미가 비슷하다.
- 책이나 신문 기사와 같이 글을 쓸 때 많이 사용된다.

예문

- 그들은 그들의 문제가 **어디에서 비롯된** 것인지조차 기억하지 못했다.
- 미신은 과학이 발달하지 않았던 옛날 사람들의 **무지에서 비롯된** 것이다.
- 자신이 낳은 아이를 키우지 않고 버리는 것은 무책임과 **이기심에서 비롯된** 행동이다.
- 지수의 탁월한 창의력은 사물에 관한 관심과 **호기심에서 비롯되었다.**
- 장관은 아들의 잘못이 모두 자신의 **부족에서 비롯된** 것이라며 사과했다.

문법 4 -(으)ㄹ지라도

동 형 (으)ㄹ지라도

의미·용법

- 현실과 다르거나 일어날 가능성이 적은 상황을 가정할 때 사용한다. 선행절에는 상황 제시나 가정이, 후행절에는 그와 관계가 없거나 반대인 상황이 온다.
- '-아/어도'와 의미가 비슷하지만 '-(으)ㄹ지라도'의 뜻이 더 강하고 문어적이다. 현실이 아닌 상황을 가정하는 느낌 또한 더 강하다.
- 명사는 '일지라도'와 결합한다. 과거 상황은 동사와 형용사에 '-았/었을지라도', 명사에 '이었/였을지라도'를 결합하여 표현한다.
- 글이나 격식적인 강의, 강연 등에서 흔히 사용된다.

예문

- 죽음이 우리를 **갈라놓을지라도** 당신을 사랑하는 마음은 변하지 않을 것이다.
- 비록 훈련이 괴롭고 **힘들지라도** 포기하지 말고 이겨내야 한다.
- 실수로 그런 것이 아니라고 **할지라도** 잘못을 했으면 사과를 해야 한다.
- 그는 긴장은 **했을지라도** 겁을 내지는 않았다.
- 늦은 밤에는 나쁜 사람들이 돌아다니니까 **남자일지라도** 혼자 다니면 안 된다.
- 아무리 높은 지위에 있는 **사람일지라도** 잘못하면 법의 심판을 받아야 한다.

문법 1 외에

명 외에

의미·용법

- 일정한 범위나 한계를 벗어남을 표현할 때 사용한다.
- '외에'는 '외에도' 또는 '외에는'으로 자주 사용한다.
- 외에도: 앞의 것을 빼고 그 외 다른 것을 언급할 때 사용한다.

  예 성장기 어린이에게는 고기 **외에도** 다양한 채소를 먹도록 밥상을 차려 주는 것이 필요하다.

- 외에는: 앞의 것 외에는 다른 선택이 없음을 나타낸다. '외에는' 다음에 '다른 방법이 없다, 아무것도 안 하다'와 같은 부정적인 표현이 자주 온다.

  예 그 병을 치료하려면 수술 **외에는** 다른 방법이 없다.

- 동사, 형용사는 '-는/(으)ㄴ 것 외에' 형태로 결합한다.

예문

(1) 외에도

- 학원에서는 **교재 외에도** 핵심 내용이 잘 정리된 부교재를 학생들에게 제공했다.
- 가: 이번에 새로 구입한 복사기는 왜 그렇게 비싸지?

  나: 문서를 **복사하는 것 외에도** 여러 가지 유용한 기능들이 있기 때문이야.

(2) 외에는

- 지수는 아이들에게 **어린이 프로그램 외에는** 텔레비전을 못 보게 한다.
- 내 **발소리 외에는** 아무 소리도 들리지 않았다.
- 가: 환자를 보러 왔는데요.

  나: 안 됩니다. **가족들 외에는** 병원 면회가 금지됩니다.

문법 2 -다고 해도 과언이 아니다

동 ㄴ/는다고 해도 과언이 아니다, 형 다고 해도 과언이 아니다

의미·용법

• 정도가 지나친 말 또는 과장된 말이라는 것을 나타낼 때 사용한다.
• 명사는 '(이)라고 해도 과언이 아니다'와 결합한다. 과거 사실은 동사와 형용사에 '-았/었다고 해도 과언이 아니다', 명사에 '(이)었다고 해도 과언이 아니다'를 결합하여 표현한다.

예문

• 이번 계약의 성공 여부에 따라 회사의 존폐가 **좌우된다고 해도 과언이 아닙니다.**
• 요즈음 서울 시내의 주택 중에서 2억 이하의 전셋집은 거의 **없다고 해도 과언이 아니다.**
• 가: 요새 사람들은 컴퓨터보다도 휴대 전화를 더 많이 쓰는 것 같아.
  나: 맞아. 휴대 전화와 **한 몸이라고 해도 과언이 아니야.**

문법 3 (으)로 하여금

명 (으)로 하여금

의미·용법

• 누구를 시켜 뒤에 나오는 행동을 하게 만들 때 사용한다.
• 후행절 에 주로 '-도록 하다', '-게 하다'가 쓰인다.

예문

• 그 영화는 **사람들로 하여금** 자연 파괴의 심각성을 고민하게 한다는 점에서 의미가 크다.
• 그 시인의 시는 **독자들로 하여금** 삶에 대해 많은 생각을 하도록 해 준다.
• 주입식 교육은 **학생들로 하여금** 제약된 사고방식을 가지게 한다.
• 이번 사건은 **국민으로 하여금** 통일 문제에 관심을 가지게 하였다.

문법 4 -다기에

동 ㄴ/는다기에, **형** 다기에

의미·용법

- 다른 사람에게 들은 사실이 뒤에 오는 말의 이유나 근거가 될 때 사용한다.
- '-는다고 하기에'가 줄어든 말이다.
- 후행절의 주어는 말하는 사람인 '나'이다.
- 명사는 '(이)라기에'와 결합한다. 동사와 형용사의 과거는 '았'/었다기에', 명사의 과거는 '이었/였다기에'로 표현한다.

  예 민수가 숙제를 다 **했다기에** 나가서 놀라고 했어요.

예문

- 아이가 글을 **읽는다기에** 동화책을 사 왔어요.
- 아끼는 제자가 유학을 **가고 싶다기에** 내가 나서서 추천서를 작성해 주었다.
- 아내가 기념일에 갖고 싶은 선물이 **향수라기에** 어제 백화점에 가서 사 가지고 왔다.
- 가: 이게 웬 꽃이에요?

  나: 오늘이 **스승의 날이라기에** 사 왔어요. 선생님, 축하드려요.

12 시대와 인물

문법 1 -(으)ㄴ 이래

동 (으)ㄴ 이래

의미·용법

- '과거의 어느 일정한 때부터', 혹은 '과거의 어떤 행동을 한 때부터 지금까지'라는 뜻을 나타낸다.
- '독립, 건국, 설립, 개교, 창립, 출간' 등의 명사와 결합하는 경우가 많다.

- 후행절에 '처음, 최초, 최고, 최대' 등을 써서, 상황을 강조하기도 한다.

  예 이 드라마 덕분에 방송국이 **개국한 이래 최고의** 시청률을 올렸다.

- 명사는 '이래'와 결합한다.

예문

- 우리 학교는 **개교한 이래** 지금까지 만여 명의 졸업생을 배출했다.
- 한국은 **건국 이래** 급격한 변화를 겪으며 성장하고 있다.
- 올 여름에는 **기상 관측 이래** 가장 많은 비가 내렸습니다.

문법 2 –는 내내

동 는 내내

의미·용법

- '처음부터 끝날 때까지 계속해서'라는 뜻을 나타낸다.
- 명사는 '내내'와 결합한다.

예문

- 어제 영화를 봤는데 너무 슬퍼서 **보는 내내** 펑펑 울었어.
- **겨울 내내** 감기가 떨어지지 않아서 기침을 달고 살았다.
- **경기 내내** 양 팀 응원단의 열정적인 응원이 끊어지지 않고 계속되었다.

문법 3 -(으)라고

동(으)라고

의미·용법

- 앞의 내용이 뒤에 나오는 행위의 목적이나 의도를 나타낸다.
- 보통 앞에 대상에 대한 소망이나 바람의 내용이 나오고, 이를 희망하며 주체가 뒤의 행동을 한다.
- 앞과 뒤의 주어가 다르다.

  예 **(그가)** 옷을 편하게 갈아입으라고 **(나는)** 방에서 나갔다.
- 부정형은 '-지 말라고' 의 형태를 사용한다.

예문

- 동생이 시험에서 좋은 점수를 **받으라고** 찹쌀떡을 선물했다.
- 시험 기간에 게임을 **하지 말라고** 엄마가 게임기를 뺏어 버렸다.
- 가: 손에 든 건 뭐야?

  나: 감기에 걸렸다고 했더니 빨리 **나으라고** 친구가 선물해 준 비타민이야.

문법 4 만으로도

명만으로도

의미·용법

- 다른 것을 하지 않고 단지 그것만으로도 충분함을 나타낸다.
- 동사나 형용사와 결합할 때는 '-는/(으)ㄴ 것만으로도'의 형태를 사용한다.
- 문장 끝에 '충분하다, 괜찮다, -(으)ㄹ 수 있다' 등의 표현이 자주 온다.

예문

- 내 **월급만으로도** 먹고 사는 데는 충분하다.
- 아침에 가볍게 **뛰는 것만으로도** 병을 예방할 수 있다.
- 아이가 다치지 않고 **무사한 것만으로도** 충분히 감사할 일이다.
- 가: 어제가 생일이었지? 축하가 늦어서 미안해.
  나: 아니야. **기억해 준 것만으로도** 정말 고마워.

13 경제생활

문법 1 -는 셈이다

동 는 셈이다

의미·용법

- 상황을 종합적으로 살펴보고 계산한 뒤, 거의 그렇다고 판단할 때 사용한다.
- '-는 것과 비슷하다'와 의미가 유사하다.
- 판단의 근거에는 '-(으)니까'가 결합하는 경우가 많다.
  예 저녁을 먹고 잘 때까지 보통 숙제를 **하니까** 하루에 4시간 정도 **공부하는 셈이다.**
- 명사는 '인 셈이다'와 결합한다. 과거 사실은 동사에 '-(으)ㄴ 셈이다'를 결합하여 표현한다.

예문

- 저는 작년에 한국에 왔으니까 한국에서 1년 정도 **살고 있는 셈입니다.**
- 어제는 20시간 잤으니까 온종일 잠만 **잔 셈이다.**
- 저 아이들을 10년 동안 돌보았으니 저 아이들에게는 내가 **부모인 셈이다.**
- 가: 경기에 져서 너무 슬퍼요.
  나: 우승 후보를 상대로 이 정도 경기를 했으니 정말 **잘한 셈이야.**

문법 2 –지 않을까 하다

동 형지 않을까 하다

의미·용법

- 생각이나 추측, 의견을 조심스럽게 말할 때 사용한다.
- '-지는 않을까 하다'와 같이 '-는'을 결합하면 의미가 더 강조된다.

  예 너무 긴장해서 **실수하지는 않을까 하는** 걱정이 들었다.
- '-지 않을까 싶다'로도 자주 사용된다.
- 명사는 '(이)지 않을까 하다'와 결합한다. 동사, 형용사의 과거는 '-지 않았을까 하다', 명사의 과거는 '(이)지 않았을까 하다'로 표현한다.

  예 식당에 갈 시간도 **없지 않았을까 해서** 도시락을 준비했어요.

예문

- 운동하면 살이 **빠지지 않을까 하는** 마음에 열심히 운동을 하고 있다.
- 경제학은 **공부가 어렵지 않을까 하는** 두려움이 있다.
- 사람들이 **배고프지는 않을까 해서** 음식을 좀 싸 왔어요.
- 그 말이 **거짓말이지 않을까 하는** 생각이 들었다.
- 가: 왜 이렇게 늦었어?

  나: 좀 빨리 **갈 수 있지 않을까 싶어서** 택시를 탔는데 너무 길이 막혔어. 미안해.

문법 3 –는/(으)ㄴ 가운데

동는 가운데, 형(으)ㄴ 가운데

의미·용법

- 앞의 일이나 상태가 지속되는 동안에 뒤의 일이 일어남을 나타낸다. 앞의 내용이 뒤에 일어나는 일의 배경이나 상황이 된다.

- 동사의 과거는 '-(으)ㄴ 가운데'를 사용한다.
- 앞과 뒤의 상황이 반대임을 강조하고 싶을 때 '-는 가운데(에)서도'라고 표현할 수 있다. 말할 때는 '에'를 생략하기도 한다.

  예 비가 **쏟아지는 가운데서도** 행사가 계속 진행되었다.

예문

- 환경 오염이 날로 **심각해지는 가운데** 정부는 이 문제를 해결하기 위한 정책을 고심 중이다.
- 국가가 **울려 퍼지는 가운데** 선수들이 차례대로 입장하고 있다.
- 모두가 **찬성하는 가운데서도** 민수는 눈치 보지 않고 혼자 반대하고 있다.

문법 4 -기가 무섭게

동 기가 무섭게

의미·용법

- 앞의 일이 끝나자마자 곧바로 다음 일이 일어남을 나타낸다.
- '무섭게'라는 표현을 사용하여 뒤의 일이 무서울 정도로 빨리 일어남을 과장해서 표현한다.
- 조사를 생략하여 '-기 무섭게'로 사용하기도 한다.
- 유사 표현으로 '-기가 바쁘게'가 있다.

예문

- 지수는 선생님의 질문이 **끝나기가 무섭게** 대답을 했다.
- 손님이 대문에 **들어서기가 무섭게** 개가 짖기 시작했다.
- 가: 횡단보도에 파란불이 **켜지기가 무섭게** 뛰어가는 사람들 좀 봐.

  나: 다들 뭐가 그리 바쁘다고 저렇게 서두를까? 조금 여유를 가지면 좋을 것 같은데.

문법 1 에 달하다/그치다

명 에 달하다 / 명 에 그치다

의미·용법

- ‘에 달하다’는 정도, 수량, 상태 등이 일정 수준에 도달했음을 나타낸다.
- ‘에 그치다’는 더 이상 나아가지 않고 일정 정도나 상태에 머무름을 나타낸다.
- 기준을 중심으로 정도가 크다고 판단하면 ‘에 달하다/이르다’를, 정도가 작다고 판단하면 ‘에 그치다/불과하다’를 사용할 수 있다.

예문

- 이번 시험에 응시한 학생의 수만 해도 약 **만 명에 달한다.**
- 올해 우리 회사의 매출은 지난해 대비 겨우 **1% 증가에 그쳤다.**
- 피아니스트 임윤찬은 이번 공연에서 완벽의 **경지에 달하는** 연주 솜씨를 선보였다.
- 가: 은행 절도 사건의 범인을 잡았대요?
  나: 경찰이 도주하던 범인을 뒤쫓았지만 **헛수고에 그치고** 말았대요.

문법 2 을/를 바탕으로

명 을/를 바탕으로

의미·용법

- 어떤 사물이나 현상(결과)을 이루는 근본임을 나타낸다.
- ‘을/를 가지고’, ‘을/를 기본으로’와 유사한 의미를 나타낸다.

예문

- 개발도상국에서는 풍부한 **자원을 바탕으로** 경제 성장을 이루고 있다.
- 학생들은 선생님께서 주신 **의견을 바탕으로** 발표문을 수정했다.
- 실험을 통해 얻은 **데이터를 바탕으로** 연구의 결론을 내려야 한다.
- 가: 이 영화는 **실화를 바탕으로** 해서 만들어졌대.
  나: 진짜? 여기에 나온 이야기가 다 사실이라고?

문법 3 에서 기인하다

명 에서 기인하다

의미·용법

- 어떤 일이나 상황이 발생되는 원인임을 나타낸다.
- 주로 명사와 같이 사용되나 동사, 형용사와 결합할 때는 '-(으)ㄴ 데에서 기인하다'의 형태로 사용된다.

예문

- 직장인들의 크고 작은 질병들은 **피로에서 기인한** 경우가 많다.
- 이번 화재는 담배꽁초를 무심코 **버린 데에서 기인한** 것이었다.
- 이번 경기의 패배는 상대를 얕잡아보고 **방심한 데에서 기인한** 결과이다.
- 가: 공사장에서 일하던 직원이 추락한 사고가 있었다면서요?
  나: 네. 다행히 많이 다치지는 않았는데 **부주의에서 기인한** 거였대요.

문법 4 -는/(으)ㄴ 감이 있다

동 는 감이 있다, 형 (으)ㄴ 감이 있다

의미·용법

- 어떤 상태, 상황, 행동에 대해 자신의 느낌을 완곡하게 표현할 때 사용한다.
- 형용사와 함께 사용되는 경우가 많다.
- 동사와 결합할 때는 정도를 나타내는 표현과 함께 쓰이는 경우가 많다.

  예 어머니는 영양제를 **너무 많이 드시는 감이 있다.**

예문

- 그 문제는 초등학생이 풀기에 좀 **어려운 감이 있다.**
- 한국에 오랫동안 살면서 발음은 많이 **자연스러워진 감이 있지만** 억양은 여전히 어렵다.
- 가: 또 먹어? 밥도 두 공기나 먹고 후식까지 챙겨 먹었잖아.

  나: 그랬는데도 어쩐지 **부족한 감이 있네.** 왜 이렇게 배가 고프지?

01 건강한 생활

1-1 건강한 음식

어휘와 표현 1

ㅈ

식품군

곡류

유지

당류

유제품

탄수화물

단백질

무기질

칼슘

올리브유

면역력

과잉

섭취

비만

골다공증

두뇌

활성화

열량

칼로리

소모하다

듣기 1

폭식

호르몬

일상화되다

급속도

핑계

하루가 다르게

분비되다 예 호르몬이 분비되다

영양분

당뇨

고혈압

심장병

성인병

한마디로

악순환의 고리 예 악순환의 고리에 빠지다

불가피하다

위주 예 채소 위주로 먹다

읽기 1

균형 예 균형 잡히다

식단 예 균형 잡힌 식단

제시하다

앞바퀴

뒷바퀴

적정 예 적정 체중

권장하다

수분

보충되다

매끼 예 매끼 채소를 먹다

통곡물

기름기

되도록

바람직하다

견과류

문법 2

상장

사형 예 사형 제도

1-2 건강한 신체와 운동

어휘와 표현 2

관절

척추뼈

골반뼈

종아리뼈

삐끗하다

혈액 순환

뭉치다

쑤시다

쥐가 나다

저리다

꿇다 예 무릎을 꿇다

편두통

목뒤

유산소 예 유산소 운동

근력 예 근력 운동

유연성

폐

읽기 2

참여율

연령대

전년

대비

수치

우려하다

접근성

종합적

점차적

수요 예 수요 조사

맞춤형

예산

증액하다

듣기 2-1

고정되다

제자리걸음

운동 기능 저하 증후군

기관

질환

과도하다

호소하다

초기

짐작하다

듣기 2-2

양발

어깨너비

벌리다

발꿈치

내딛다

활동

자체 — 예 결심을 한 것 자체가 큰 변화이다.

02 생활 속 매체

2-1 생활과 광고

어휘와 표현 1

공익 광고

뉴미디어

브랜드 인지도를 높이다

변화시키다

심각성을 알리다

허위 광고

간접 광고

마약

단 — 예 단 한 번

무너뜨리다

성취

강력하다

동계 — 예 동계 올림픽

흐리다 — 예 판단이 흐리다

침해하다

비판적

수용하다

듣기 1

영원하다

잘나가다

벌컥벌컥 — 예 벌컥벌컥 마시다

노출하다

날개 — 예 날개 돋친 듯이 팔리다

돋치다

몰입

이익

제작비

제작사

제작하다

흐름 예 이야기의 흐름을 방해하다

노골적

거부감

읽기 1

전반 예 사회 전반에 걸쳐

욕구

대량

생산

기여하다

막대하다

경쟁

형성하다

무의식적 예 무의식적으로 받아들이다

파악하다

객관적

근거하다

드러나다

고려하다

현명하다

문법 2

코앞 예 코앞으로 다가오다

성능

불경기

채용

인품

다재다능하다

2-2 매체와 표현

어휘와 표현 2

선거

기승 예 폭염이 기승을 부리다

상반기	
진출	
실내복	
껑충	
들썩	예 아파트 값이 들썩
성큼	예 성큼 다가오다
동동	예 발을 동동 구르다
추위	
겪다	
강풍	
꽁꽁	예 꽁꽁 얼다
뚝	
임하다	예 경기에 임하다
개최하다	
심사	
통과하다	
경연을 펼치다	
열띠다	예 열띠게 응원하다

수상	
연설문	
반성문	
논설문	
설명문	

읽기 2

톡톡	
튀다	예 톡톡 튀는 아이디어
구독	
냠냠	
구성원	
본격적	
교직원	
실습실	
도모하다	
평소	
숨기다	
획득	

관계자

창의성

협동

공정하다

장려상

교환권

수상작

반영하다

본문

표제

부제

전문

서술

요약

듣기 2

매장

새내기

핵심

따옴표

신뢰감

육하원칙

분량

눈길

끝맺다

문법 3

범인

인솔자

소통

더불어

문법 4

구급차

활동

알록달록 예 알록달록 단풍이 들다

총장

다채롭다

주요 예 주요 프로그램

발휘하다

선사하다

하이라이트

끼 예 끼를 발휘하다

03 언어와 생활

3-1 소통하는 언어

어휘와 표현 1

귓속말

혼잣말

바른말

막말

군말

빈말

말대꾸

말동무

말버릇

말주변

말씨

말수

선의의 거짓말

그럴듯한 거짓말

흔쾌히

듣기 1

속마음

알아차리다

행동을 취하다

의심하다

혈압

상승시키다

신경 예 신경외과

자극되다

간지럽다

뜯다

안도감

유사하다

긁다

들키다

읽기 1 준비

청취자

큰맘 먹다

손해 예 손해를 보다

읽기 1-1

도움을 청하다

어쩔 수 없이

사정 예 경제 사정

괜히

읽기 1-2

확보하다

회신

명확하다

수락하다

때로

상세하다

탓 예 날씨 탓

문법 1

여부 예 합격 여부

문법 2

정의하다

3-2 변화하는 언어

어휘와 표현 2

유형

비속어

유의어

반의어

코가 납작해지다

살금살금

호감

단조롭다

간결하다

단절되다

무분별하다

해석하다

확대

축소

차용 예 문자 차용

축약

노동력

읽기 2

친근감

집약적

유용하다

특정 예 특정 계층

제한되다

폭넓다

듣기 2

언어학

유행성

빈도

공유되다

확산

녹아들다

집단

소속감

강화하다

비중

간략하다

해당되다

합성

형편없다 예 실력이 형편없다

사례 예 구체적인 사례

특이하다

대치

문법3

허비하다

활동

개요

논리

초안

목차 　 예 책의 목차

04 교육과 진로

4-1 한국의 교육 문제

어휘와 표현 1

학제

초등 교육

중등 교육

고등 교육

의무 교육

무상 교육

대안 　 예 대안 학교

태교

가정 교육

공교육

사교육

직업 교육

평생 교육

사교육비

맞춤 　 예 맞춤 교육

선행 　 예 선행 학습

격차 　 예 교육 격차

교육열

치열하다 　 예 경쟁이 치열하다

학부모

교육관

인생관

직업관

역사관

듣기 1

실생활

가능성

탐색하다

장난이 아니다

명문 예 명문 대학

읽기 1

특성화 예 특성화 교육

만족도

편집자

흔히

책임지다

인재

현주소

지름길

존재하다

과외

사교육 시장

소득

앞서다

해소하다

정부

차원 예 정부 차원

동등하다

교육부

학습자

강좌

질적

향상

문법 1

매번

문법 2

열애설

소속사

4-2 취업과 면접

어휘와 표현 2

창업하다

역량

학점

취득하다

특강

경력

분석하다

공고 예 채용 공고

입사하다

전형 예 서류 전형

필기시험

구직

구직자

동의서 예 개인 정보 이용 동의서

최종

학력

직무

사본

원본

화상 예 화상 면접

읽기 2-1

복지

학사

학위 예 학사 학위

복지사 예 사회 복지사

소지자

예정자 예 졸업 예정자

우대

합격자

개별

통지

반환되다

해당자

불합격

읽기 2-2

통지서

숙지

대기 예 대기 시간

대기실

-당 예 1인당

개별적

소요되다

응시자

지참하다

불참

통보

듣기 2

하늘의 별 따기

동문

살리다 예 전공을 살리다

막막하다

첫걸음

성실히

열정

겁먹다

망설이다

보완하다

우러나오다

동기 예 지원 동기

포부

모의 예 모의 면접

문법 3

마감일

소견서

지급하다

신규 예 신규 가입자

문법 4

행실

갖추다

활동

영업

무관 예 성별 무관

계발 예 자기 계발

게을리하다

05 사회 현상과 변화

5-1 한국 사회의 갈등

어휘와 표현 1

세대	예 세대 갈등
노사	예 노사 갈등
불공평하다	
갈등을 빚다	
이기적	
말을 뒤집다	
잘못을 부인하다	
변명	
늘어놓다	
감정적	
대응하다	
상대에게 보복하다	
차분하다	
중재자	
배려심	
이해심	
협동심	
인내심	
복수심	
질투심	
경쟁심	
이기심	

듣기 1

이웃사촌	
내리사랑	
층간	예 층간 소음
무조건적	
쿵쿵거리다	
공동 주택	
휴식처	
졸이다	예 마음을 졸이다
연관	
검색어	

사소하다

극단적

옛말

거슬리다

소통하다

읽기 1-1

산업화

거치다

급격히

최소한

중재하다

민원

일회적

집착하다

몸싸움

벌이다

끔찍하다

단정하다

신고자

문법 1

드르렁드르렁

골다 예 코를 골다

조르다

재촉하다

한숨

문법 2

상사 예 직장 상사

배고픔

노숙자

나서다

5-2 가족 제도의 변화

어휘와 표현 2

핵가족

대가족

공동체

조부모

신생아

출산율

다문화 예 다문화 가구

급증

미혼

비혼 예 비혼 출산

비혼모

기혼

약혼하다

이혼하다

재혼하다

임신하다

임산부

정자

난자

기증받다

시험관

시술

출산하다

유산하다

낙태하다

인식

낙태권

최하위 예 최하위 수준

읽기 2

무자녀 예 무자녀 가구

한 부모 예 한 부모 가구

동거 예 동거 가구

기획 예 기획 기사

일반적

사내 예 사내 연애

차 예 10년 차

사별하다

가슴으로 낳다

혈연

인연

별 예 별 관심이 없다

변함없다

매 예 매 순간

자신하다

성취감

듣기 2-1

양육

자발적

의식하다

개성

뒤처지다 예 시대에 뒤처진 생각

산부인과

눈앞이 캄캄해지다

지지하다

듣기 2-2

개념

형태

단지 예 단지 아이를 낳기 위해

무관심하다

문법 3

해내다

문법 4

저지르다 예 나쁜 일을 저지르다

활동

정상적

행복권

상품화

인종

유전자

불법적

매매

궁금증

사춘기

정체성

혼란

양 부모

반론

06 환경과 인간

6-1 환경 오염과 피해

어휘와 표현 1

방사능

비료

배기가스

온실가스

메탄가스

원자력

발전소

친환경

해수면

고갈되다

멸종

도시화

자동화

사막화

듣기 1

북극곰

북극해

바다표범

바다사자

사냥하다

내레이션

최상위

포식자

관측

익사하다

생물

생존

위협

규제

협정

맺다 예 협정을 맺다

읽기 1-1

산호

영영 예 영영 사라지다

읽기 1-2

가라앉다

터전

화석

연료

산림

가속화시키다

배출량

파괴

경고하다

감축

협약

강 건너 불구경

위기

문법 1

몰두하다

도주

비명

문법 2

두절되다

취재진

복구

문화유산

6-2 환경 보호와 실천

어휘와 표현 2

기증하다

환경친화적

복원하다

훼손되다

노후되다

협소하다

리모델링하다

확장하다

재사용

재개발

재구성

재배치

재건축

낙후되다

읽기 2

피난민

재탄생하다

정식 예 정식으로 문을 열다

갤러리

주도 예 정부 주도

듣기 2

생태

탈바꿈하다

매립지

매립

지정

악취

해충

빈번하다

조성

안식처

문법 3

끼어들다

문법 4

부상

침착하다

활동

잔반

내복

문풍지

단열재

플러그

도보

07 전통의 계승

7-1 궁중 음식의 변화

어휘와 표현 1

궁중	예 궁중 음식
사찰	예 사찰 음식
제례	예 제례 음식
향토	
퓨전	
조화롭다	
발효 식품	
조리법	
제철	예 제철 재료
상차림	
반상	예 3첩 반상
다과상	
교자상	
주안상	
식감	
달콤하다	
새콤하다	
짭짤하다	
쌉쌀하다	
퍽퍽하다	
쫄깃쫄깃하다	
아삭아삭하다	
바삭바삭하다	

듣기 1

수라상	
수라	
밥상	
최상	
조림	예 생선 조림
주재료	
겹치다	

기미를 보다

독

무사하다

읽기 1

호떡

단팥

꼽다 예 제일로 꼽다

어우러지다

남녀노소

후기 예 조선 후기

의서 예 의서를 읽다

조리서

전복

해삼

귀하다

서민

동떨어지다

주머니가 가볍다

길거리

밀키트

사로잡다 예 입맛을 사로잡다

유래

문헌

문법 2

명작

동서고금

7-2 판소리의 계승

어휘와 표현 2

공유성

학습성

축적성

변동성

전체성

수험생

전승 예 문화 전승

계승되다

재창조되다

외면당하다

변질되다

판소리계 예 판소리계 소설

시대상

풍자하다

희로애락

기생

신분제

목숨

재회하다

우화 예 우화 소설

권력자

소리꾼

살림꾼

사냥꾼

춤꾼

구경꾼

일꾼

누리꾼

읽기 2

판소리

고수 예 고수의 북소리

고유 예 고유의 문화

북소리

아니리

발림

별도 예 별도의 무대

장치 예 무대 장치

얼쑤

감탄사

적절히

추임새

흥

돋우다 예 흥을 돋우다

교감하다

호응

듣기 2-1

의인화하다

용궁

용왕

간 예 토끼의 간

자라

육지

부귀영화

누리다 예 행복을 누리다

가르다 예 칼로 가르다

비웃다

듣기 2-2

세속적

지혜롭다

벗어나다

충성스럽다

충성하다

아무렇다 예 아무렇지 않다

이중적

어리석다

무능력하다

위선적

지배층

문법 3

쓸쓸하다

이성적

감성적

의무

문법 4

치료제

활동

개작하다

재해석하다

약자

무능하다

08 성격과 심리

8-1 나를 나타내는 성격

어휘와 표현 1

협조적

현실적

분석적

활동적

외향적

개방적

낙관적

폐쇄적

비관적

내향적

즉흥적

논리적

결단력

의지

끈기

리더십

막중하다

수립하다

달성하다

모색하다

듣기 1

인기를 끌다

심리학

분류하다

성향 예 개인적 성향

미래 지향적

가치 예 역사적 가치

체계적

유연하다

콘텐츠

읽기 1

분석가

관리자

탐험가

독립적

독창적

추구하다

논쟁

통찰력

민감하다

신념

자아

동정심

신중하다

엄격하다

섬세하다

반응하다

미적 예 미적 감각

최고 경영자

경영 자문가

철학자

정치인

연구원

상담사

정신과

언론인

회계사

법률가

조종사

연예 기획자

문법 1

권리

보호자

8-2 나를 존중하는 마음

어휘와 표현 2

자존감

자존심

상처를 받다

너그럽다

죄책감

열등감

부담감

안정감

현실감

읽기 2

품위

두드러지다

강점

두렵다

능숙하다

원만하다

서툴다

듣기 2-1

상위권

남부러울 것 없다

기대치

만점 예 100점 만점

듣기 2-2

속 시원한 해결책

거창하다

덧붙이다

되돌아보다

근사하다

물질적

베풀다

활동

좌절하다

성과

과소평가하다

북돋다 예 용기를 북돋다

09 동물과 식물

9-1 동물과 인간의 공존

어휘와 표현 1

무척추 예 무척추동물

정온

변온

포유류

조류

어류

양서류

파충류

아가미

호흡

코끼리

펭귄

악어

공존하다

번식하다

학대하다

학대당하다

퍼지다

정책

집단성

야행성

야생성

맹독성

듣기 1

야생

통로

설치하다

구조물

서식지

인공적

소음

터널

평균

이용률

개체

수행하다

읽기 1

존폐

교차하다

묘기 예 묘기를 부리다

매질

가두다

쓸모 예 쓸모가 없어지다

장애

박다 예 이마를 박다

보장하다

동행하다

보존

판다

적합하다

생명

폐지하다

문법 1

보건소

침수되다

어학연수

곳곳이

투자

공중도덕

체질

효능

문법 2

잦다

흥행

실업률

양육비

9-2 매체와 표현

어휘와 표현 2

양분

수분

줄기

열매

광합성

퍼뜨리다

지탱하다

공급하다

산소

음이온

정화하다

이산화 탄소

흡수하다

제거하다

고무나무

스킨답서스

다육 식물

로즈마리

몬스테라

읽기 2

식물도감

타원형

개화

멕시코

거대하다

라틴어

열대

기후

분무기

뿌리다

간접적

직사광선

선정하다

관용

생명력

꼽히다

새집 증후군

쪼그라들다

듣기 2

애지중지

이점

유대감

향상시키다

창의력

잎사귀

구독자

유익하다

문법 3

도구

활동

위반

길고양이

사료

불법

처벌

포획

중성화 예 중성화 수술

황제펭귄

두루미

10 생각과 가치관

10-1 한국인의 눈치 문화

어휘와 표현 1

눈치

눈치를 주다

눈치껏 행동하다

눈치가 보이다

눈칫밥을 먹다

눈치를 채다

은퇴하다

의식	예 시민 의식
개념	예 기본 개념
관점	예 객관적인 관점
접근하다	예 의도적으로 접근하다

듣기 1

복수	예 복수 응답
허용하다	
측면	
현지	
언급하다	

읽기 1

제도	예 대가족 제도
맥락	예 고 맥락 문화
직접적	
그때그때	
미루다	예 미루어 짐작하다
말처럼 쉬운 일이 아니다	
습득하다	
직설적이다	
우회적	
드러내다	
집단생활	
구분하다	
효율성	
수직적	예 수직적 문화
퇴사하다	
요인	예 스트레스 요인
조직	
걸림돌이 되다	
지양하다	

문법 1

급격하다	
높임법	

문법 2

오르막길	

10-2 고정 관념과 편견

어휘와 표현 2

가치관을 확립하다

확립하다

차별 예 인종 차별

차별 대우

부당하다 예 부당한 대우

학벌

보수적

읽기 2

칼럼

역사학자

표백하다

실용적이다

심지어

씩씩하다

유아 예 유아 용품

유력하다

머릿속

자리 잡다

적중하다

뚜렷하다

무의식중 예 무의식중에

듣기 2

선천적

직위

법적

직종

집담회

알게 모르게

주입하다

생물학적

단정 예 단정 짓다

유리 천장

불평등

퇴직

문법 3

무책임

문법 4

보잘것없다

함부로

돈거래

활동

문항

객관식

의외 예 의외의 결과

청중

충실히

발표자

11 과학과 생활

11-1 우리의 생활과 과학

어휘와 표현 1

사물

생체

모방하다

생성형

블록 체인

암호

난치병

편집하다

대체하다

식량난

최적화하다

단축하다

예측하다

윤리적

유출되다

상표

특허

렌즈

듣기 1

가시

철망

핀 예 수영 핀

빨판

흡착기

연상되다

울타리

양치기

유심히

넝쿨

물갈퀴

추진력

침

주삿바늘

치타

읽기 1

분석

최적

경로

세척

오븐

온열

살피다

핸들

시트

작동시키다

안전거리

쾌적하다

보조하다

풍요롭다

11-2 실생활 속 우주 과학 기술

어휘와 표현 2

태양계

은하계

우주선

우주인

우주 정거장

탐사하다

발사하다

궤도

진입하다

행성

전력

중력

속력

압력

읽기 2

처리

내부

불꽃

전자기파

공기층

제조업체

진공

듣기 2

나로호

누리호

발사체

순수

선진국

대열

깃발

네트워크

혁신적

성과

연구진

지지

뒷받침

응하다

문법 3

극심하다

문학상

활동

기술직

금융직

12 시대와 인물

12-1 다산 정약용

어휘와 표현 1

행정 기관

문제점

요구하다

서신 예 서신 민원

미반영

보류

공직자

우선시하다

무성의하다

타성 예 타성에 젖다

청렴

솔선수범

근검절약

언행일치

청렴결백

몸소

듣기 1

임대 예 임대 아파트

출생

저술

행정 예 행정 서비스

빠짐없이 예 하루도 빠짐없이

다국어

해결사

계기

짜증스럽다

위민 예 위민 정신

본받다

읽기 1

거중기

평전

이름이 높다

눈에 들다

꽃을 피우다 예 재능의 꽃을 피우다

묘 예 부친의 묘

고심 예 고심의 결과

척 예 배 세 척

행렬 예 축제 행렬

손쉽다 예 손쉬운 방법

설계

창의적

천주교

유배 예 유배 생활

집필하다

망하다

문법 1

창립

유사 예 유사 이래

강대국

설립하다

출간되다

바로잡다

문법 2

주룩주룩

감추다

12-2 바람직한 인간상

어휘와 표현 2

인간상

선행 예 선행을 베풀다

효행

희생

화합

존중

정직

의롭다

귀감 예 귀감이 되다

무릅쓰다 예 위험을 무릅쓰다

불의

맞서다

성차별

감회 예 감회가 새롭다

영광스럽다

빛내다 예 자리를 빛내다

공로

치하하다

기원하다

무궁하다 예 무궁한 발전

이롭다

해롭다

슬기롭다

한가롭다

읽기 2

매달리다

떠받치다

응급 처치

뺑소니

무면허

인명 예 인명 피해

수여하다

목격하다

다세대 주택

두드리다

훈훈하다

듣기 2-1

후보자

증빙

-분 예 도착분

뜻깊다

권위

제정 예 법 제정

범위

공감대

도덕적

이타적

영웅

자부심

묵묵히

듣기 2-2

수상자

보탬 예 보탬이 되다

문법 3

손주

문법 4

친밀하다

물려받다

국산품

활동

우수상

개근상

노력상

모범상

공로상

선행상

감사장

문구 예 광고 문구

13 경제생활

13-1 기업의 판매 전략

어휘와 표현 1

충동적

경제 침체

경제 위기

경제 성장률

실업

급감하다

경제를 살리다

농산물

경제권을 가지다

수녀 (예) 수년간

경제력이 있다

경제난에 시달리다

주머니 사정이 안 좋다

위축되다

일석이조

체감하다

초저가 (예) 초저가 상품

초고가 (예) 초고가 상품

가성비 (예) 가성비가 좋은 상품

성능 (예) 가격 대비 성능

듣기 1

짠테크

겨냥하다

선보이다

반값

출시

싼 게 비지떡이다

고물가 (예) 고물가 시대

딱이다 (예) 고물가 시대에 딱이다

품목

읽기 1

묶음 상품

행동경제학

소유하다

애착 (예) 애착이 가다

조립하다

완제품

경쟁력

시선 (예) 시선이 가다

기존

닻 (예) 닻을 내리다

한정되다

기준점

유도하다

문법 1

연봉

문법 2

적용하다

13-2 합리적인 소비 생활

어휘와 표현 2

비합리적

윤리적 예 윤리적 소비

우선순위

착한 소비

녹색 소비

동참하다

부 예 부를 자랑하다

소속되다

명품

또래 예 또래 친구

돈이 돌다

돈을 굴리다

돈을 뿌리다

돈을 까먹다

돈방석에 앉다

돈을 찔러 주다

읽기 2

과시

충동

친구 따라 강남 간다

지위

일종 예 일종의 몸짓

의사 예 의사 전달

의욕

공통적

소외감

듣기 2

공동 구매

중고 거래

못지않다

내놓다

두 마리 토끼를 잡다

만만찮다 예 가격이 만만찮다

활용도

정기적

정기 예 정기 결제

문법 3

열기 예 응원 열기

번지다 예 불이 번지다

지속되다

안정세

기죽다

온화하다

나들이

문법 4

사납다

짖다

활동

기획안

벼룩시장

장롱

돗자리

행운권

직감적

세부 예 세부 내용

14 문화와 예술

14-1 K로 문화를 말하다

어휘와 표현 1

인기에 힘입다

반짝 인기

선풍적인 인기

열풍

입소문

고공 행진

마음을 사로잡다

개막식

민감하다

케이 컬처 (K-Culture)

케이팝 (K-Pop)

케이 푸드 (K-Food)

케이 드라마 (K-Drama)

글로벌 팬층

참신하다

전개 속도

완성도

가공식품

웹툰

호평

위상

틀에 박히다

역대 예 역대 기록

기록을 세우다

듣기 1

엄청나다

평상시

판매 대란

가량 예 10%가량

품절

사태 예 위기 사태

증가세

다변화

현지인

현지화

오감으로 즐기다

읽기 1

보유하다

감각적

로맨스

판타지

사극

장르

다루다

반전

몰입도

협업

접근 예 과학적 접근

기획력

특화되다

인지도

스며들다 예 일상에 스며들다

문법 1

극 예 극에 달하다

문법 2

실화

감수성

취재

목격자

14-2 예술로 일상을 말하다

어휘와 표현 2

기원 예 인류의 기원

가설

주술

노동

유희

육체적

대가 예 대가를 지불하다

향유하다

충족하다

내면

들여다보다

신뢰

읽기 2

동굴

본능

견디다

창조하다

시초

인류

본질적

탐구

본성

듣기 2

중산층

항의하다

대담

창작

순수 예술

친숙하다

골동품

마감되다

작곡

산책 삼아 가다

이견을 표하다

문법 3

방심하다

부실 공사

철자

문법 4

한정판

활동

표절

창작물

출처

도덕적

인용 예 논문 인용

권위

전문성

언급하다

지적하다